王獻之墨蹟選

彩色放大本中國著名碑帖

孫寶文 編

上海辭書出版社

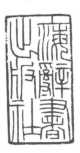

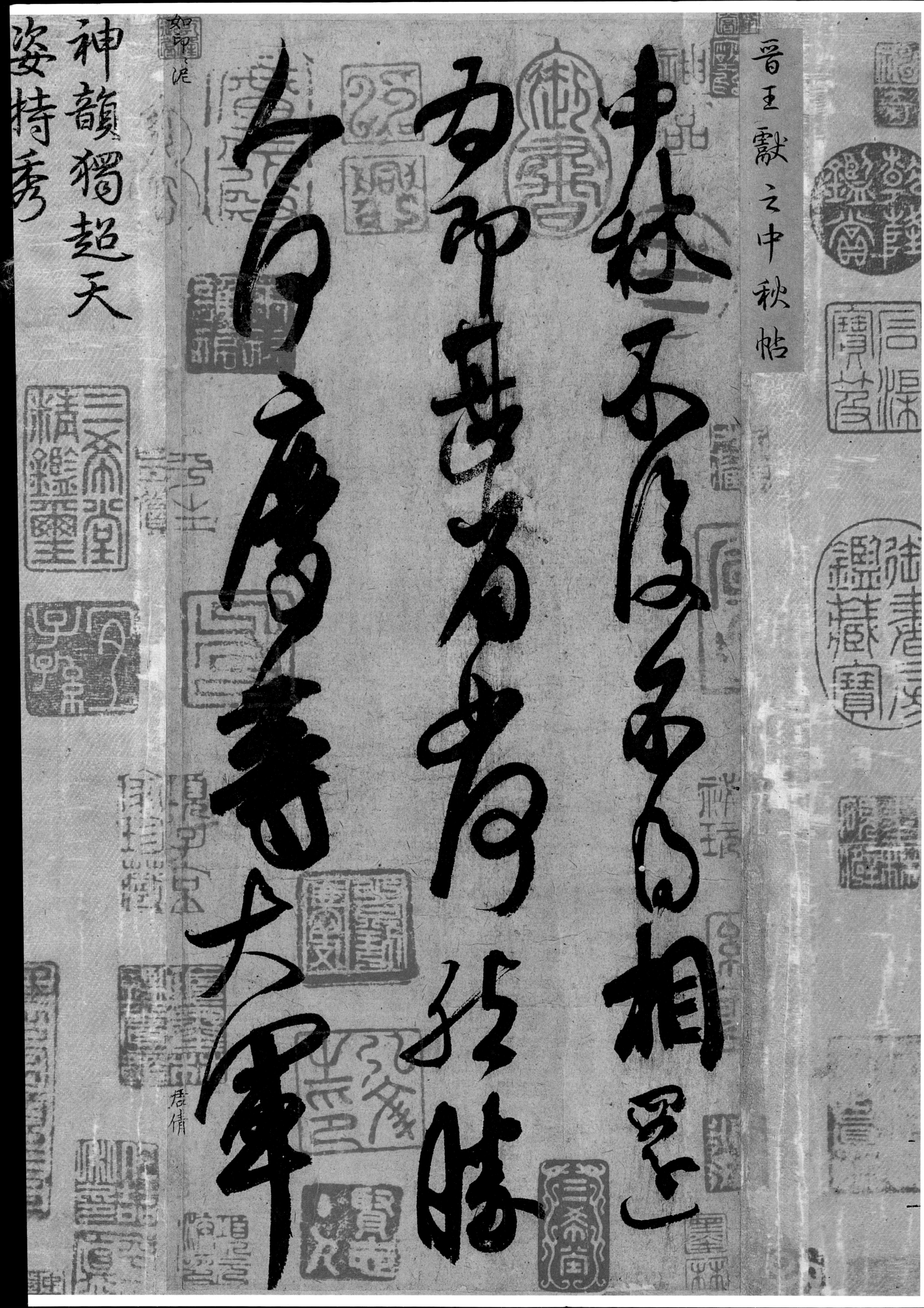

中秋不復不得相還为即甚省如何然勝人何慶等大軍

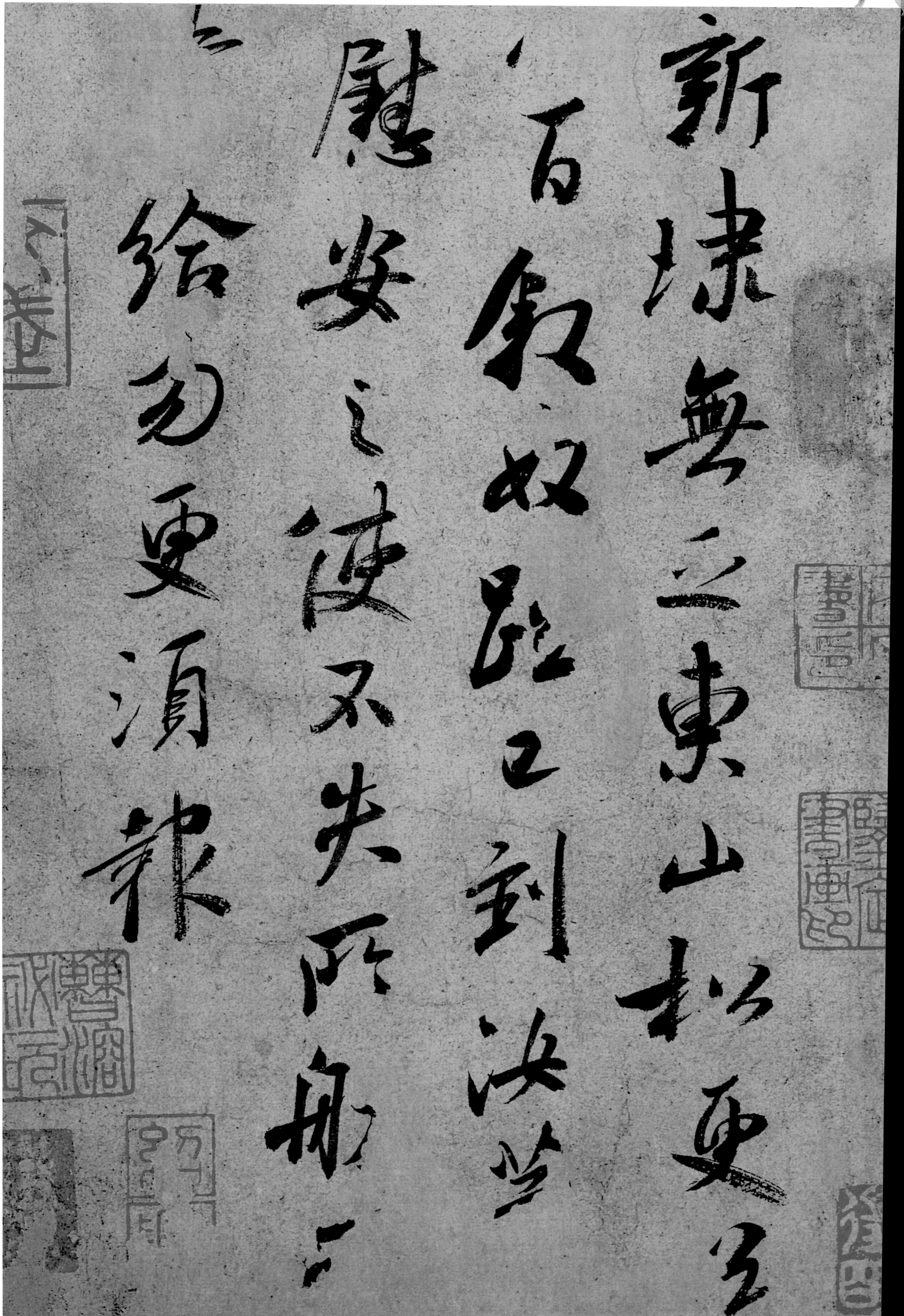

東山松帖

新埭無乏東山松更送八百叙奴□已到汝等慰安之使不失所□□□給勿更須報

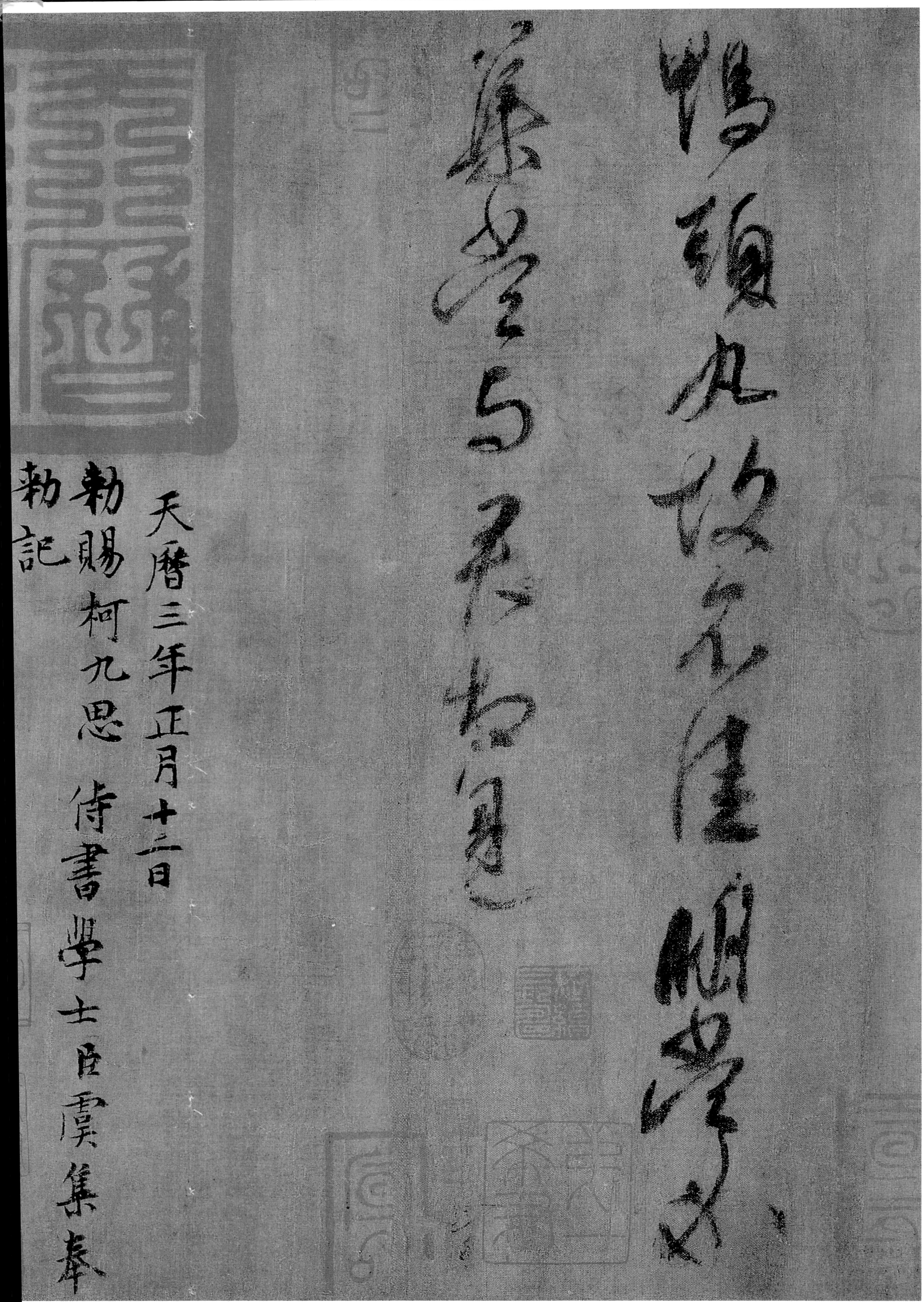
天曆三年正月十二日
勅賜柯九思 侍書學士臣虞集奉
勅記

鴨頭丸故不佳明當必集當与君相見

廿九日帖

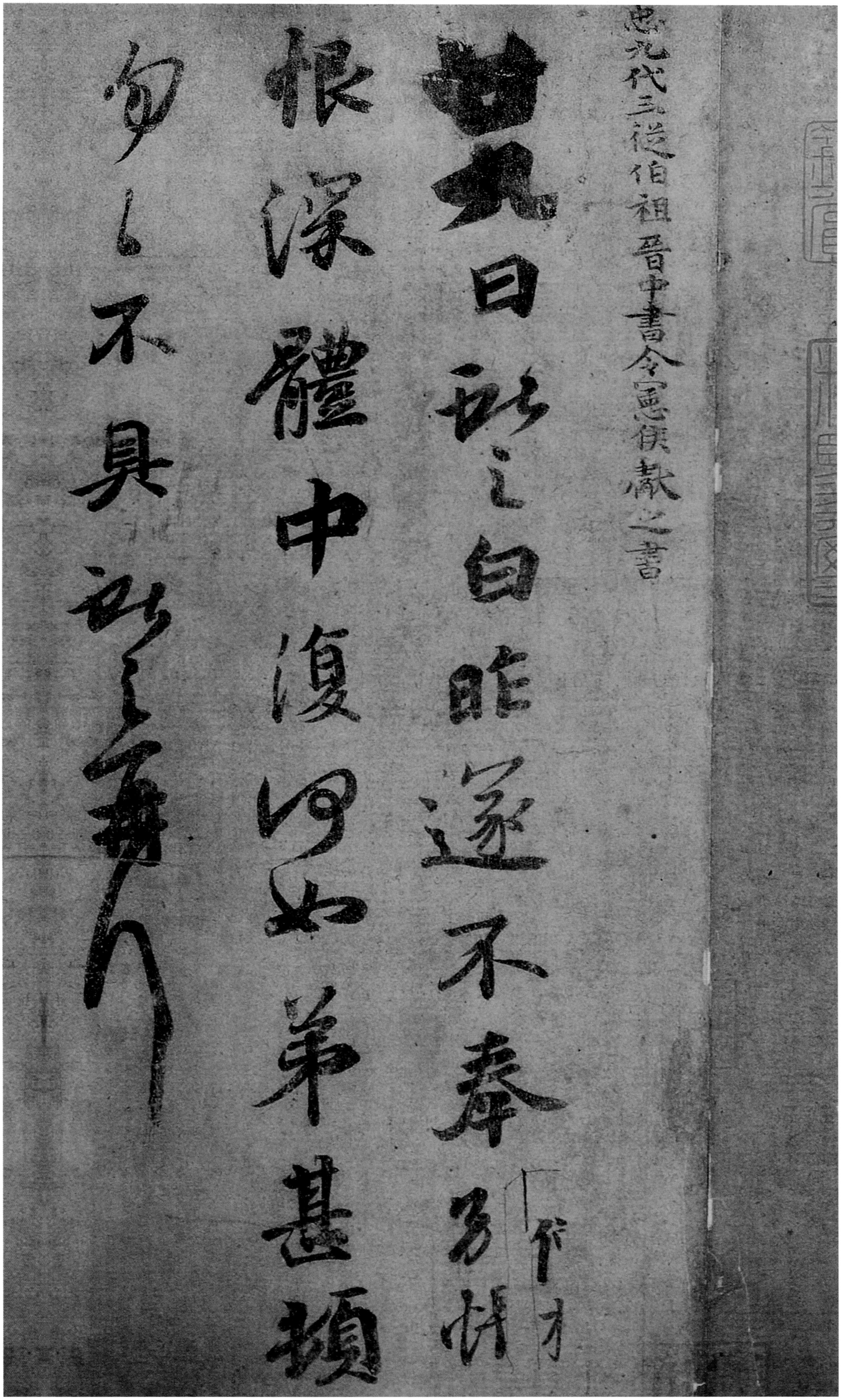

廿九日獻之白昨遂不奉别悵恨深體中復何如弟甚頓匆匆不具獻之再拜

晉王獻之地黃湯帖

新婦服地黃湯來似減眠食尚未佳憂懸不去心君等前所

新婦服地黃湯來似減眠食尚未佳復憂懸不去心君等前所

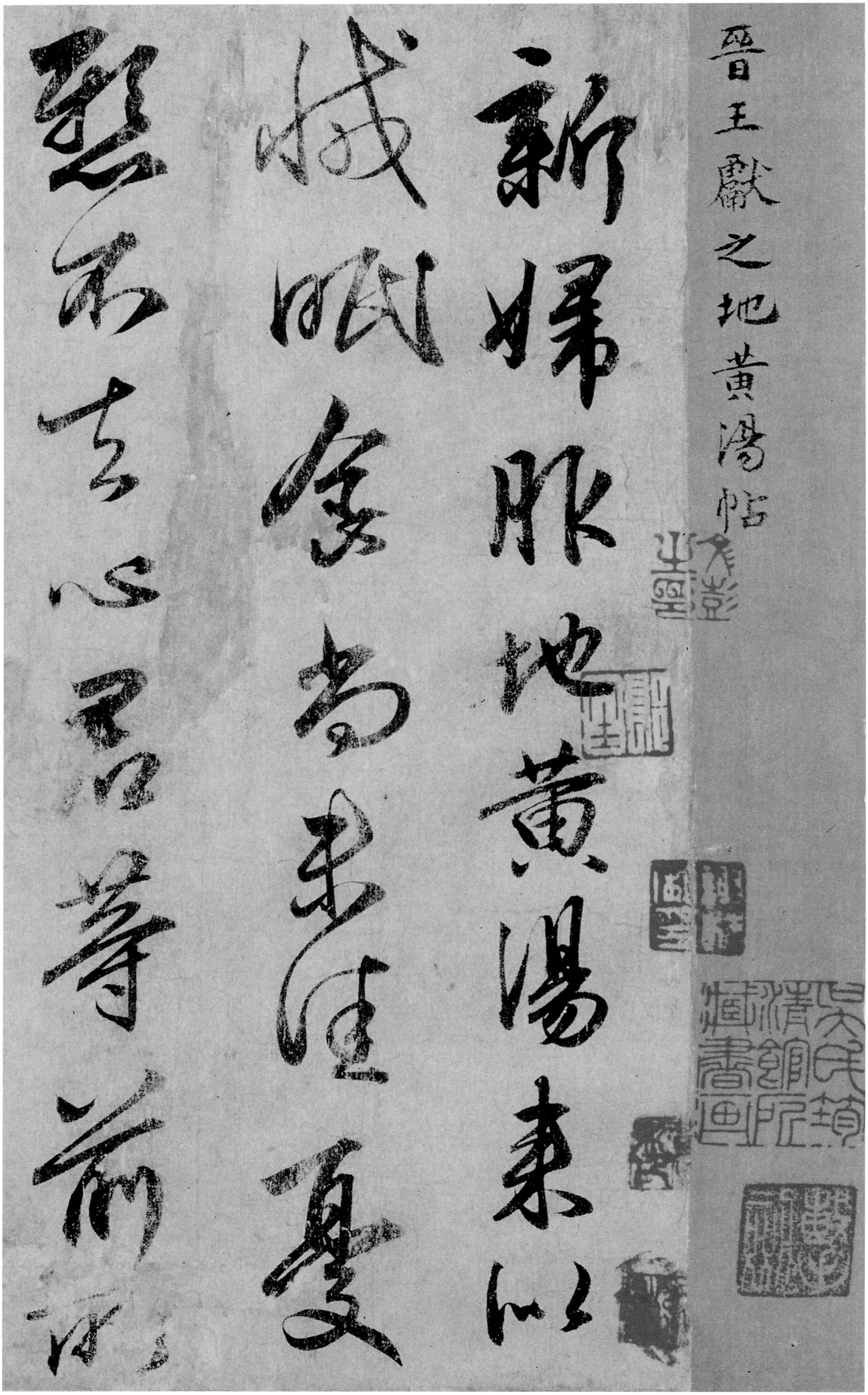

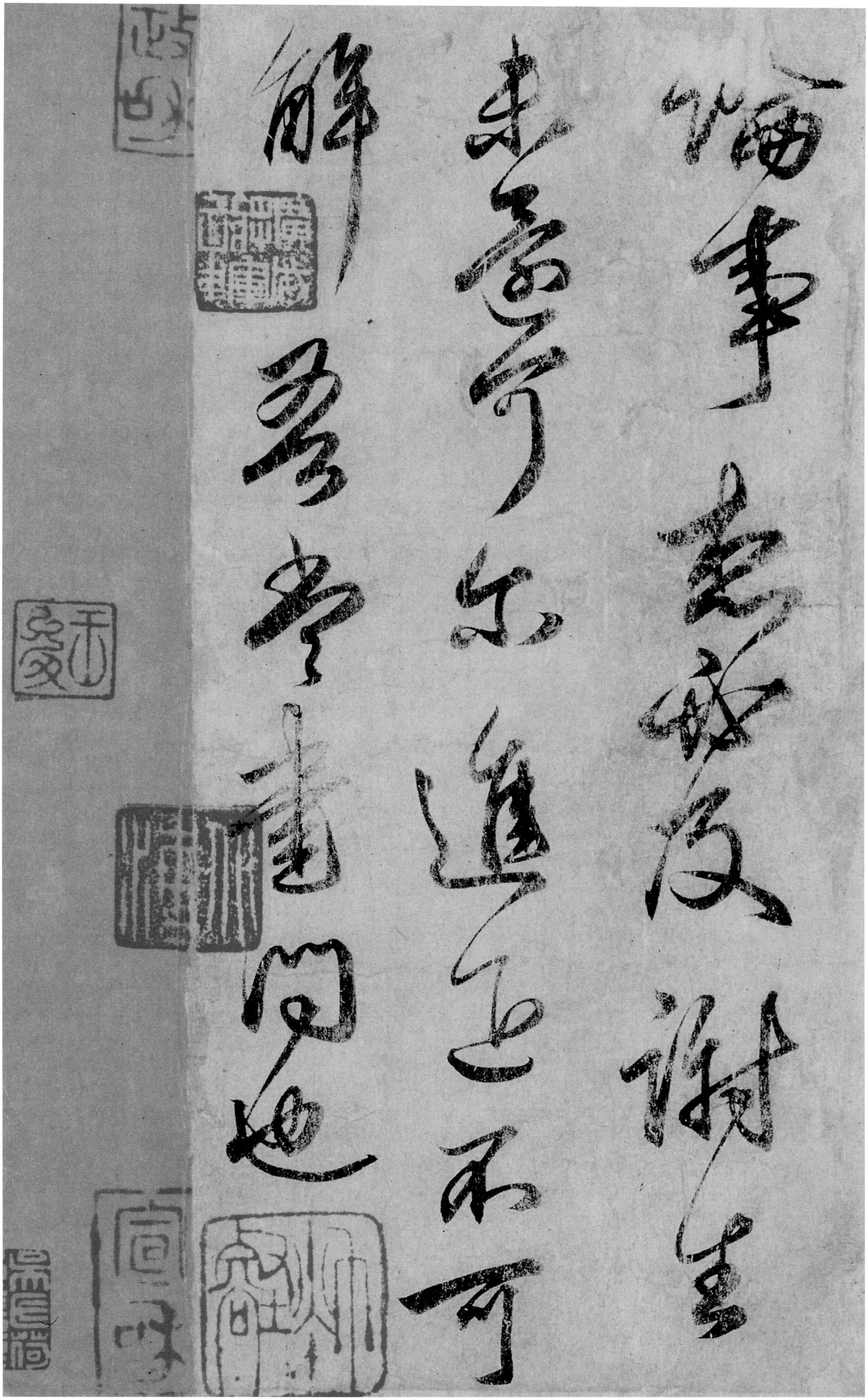

論事想必及謝生未還何爾進退不可解吾當書問也

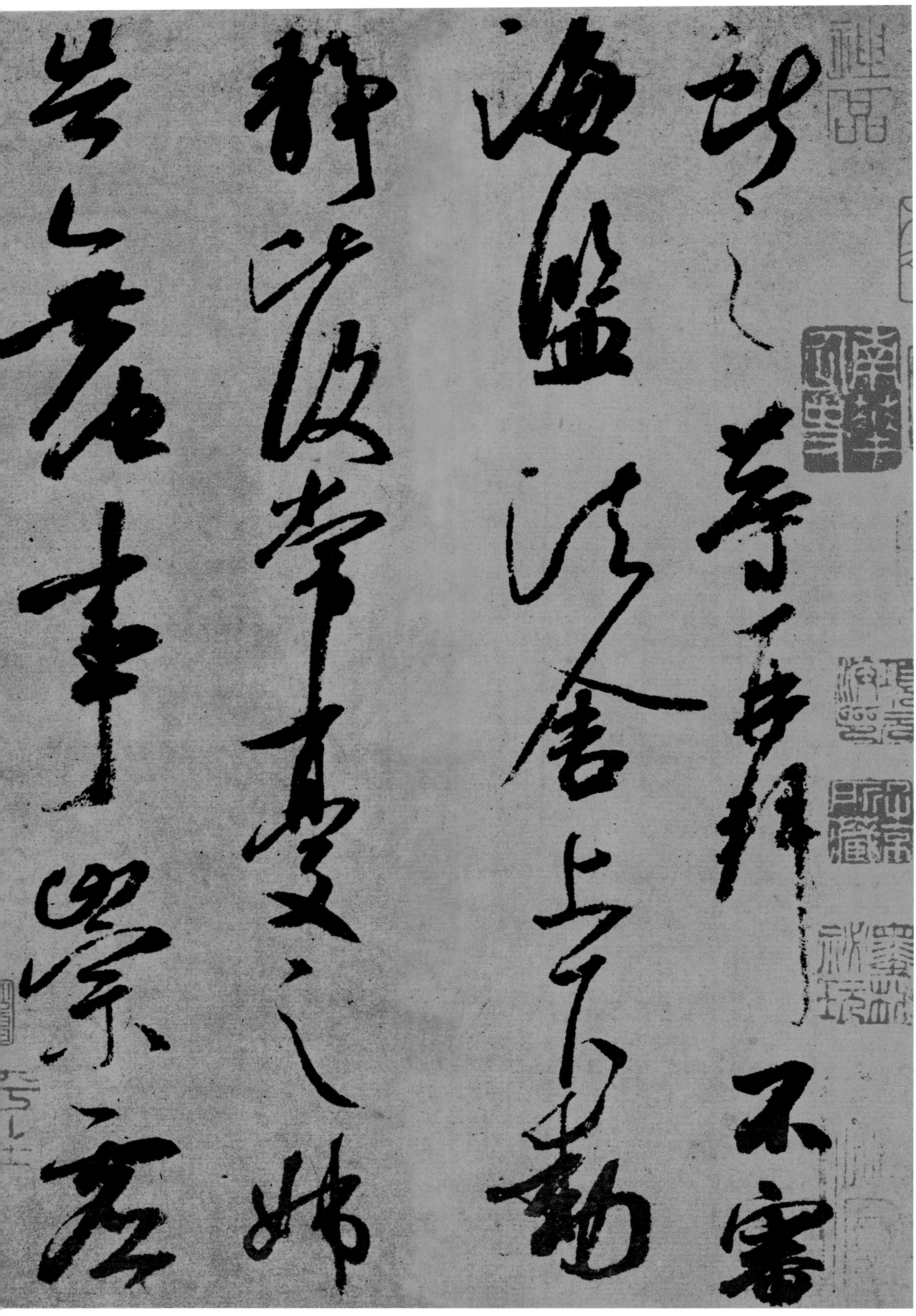

獻之等再拜不審海鹽諸舍上下動静比復常憂之姊告無他事崇虛劉道士鵝群并復歸也獻之等當須向彼謝之獻之等再拜

劉道士載屏旨
復歸也許之等山谷
須向渡謝之許之
初再

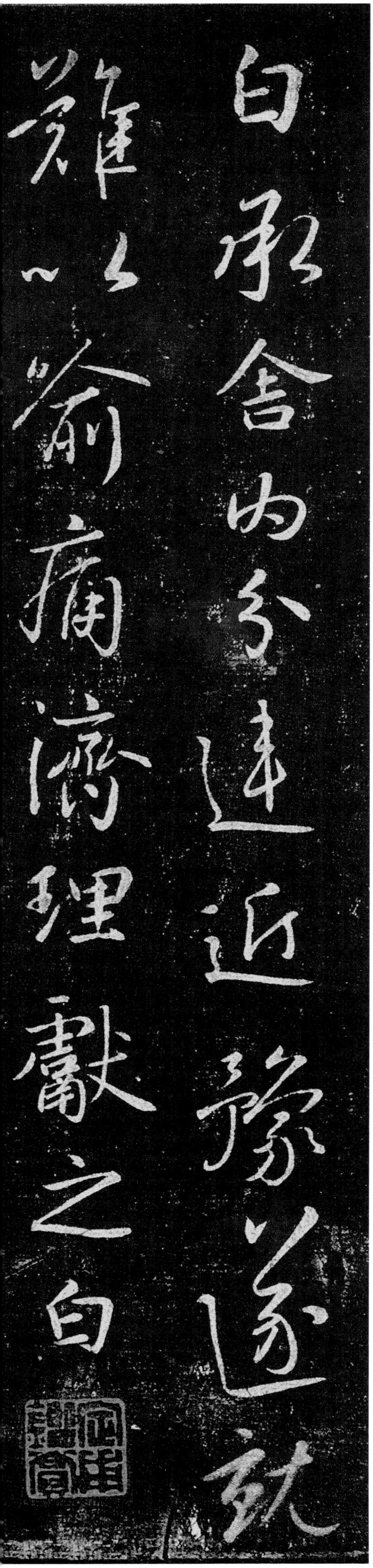

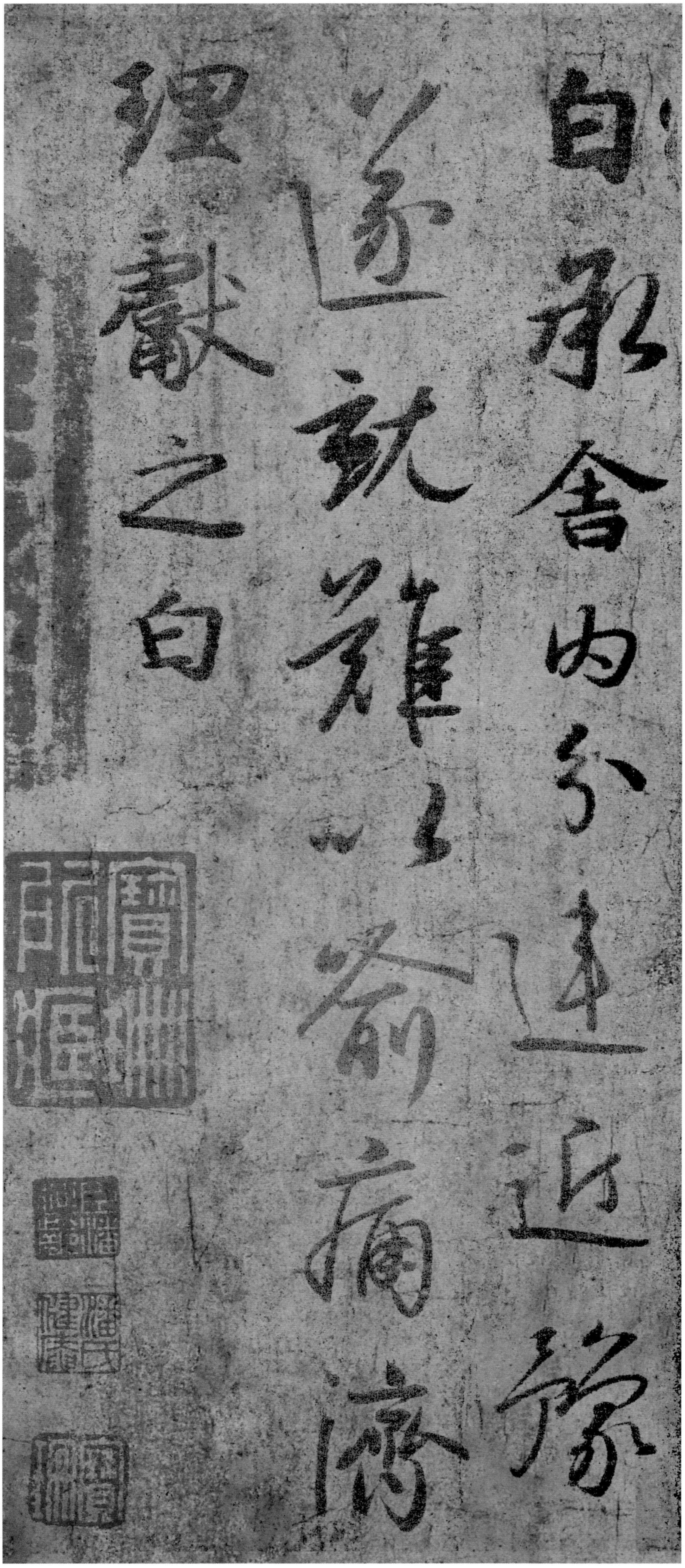

白承舍内分違近豫遂就難以喻痛濟理獻之白

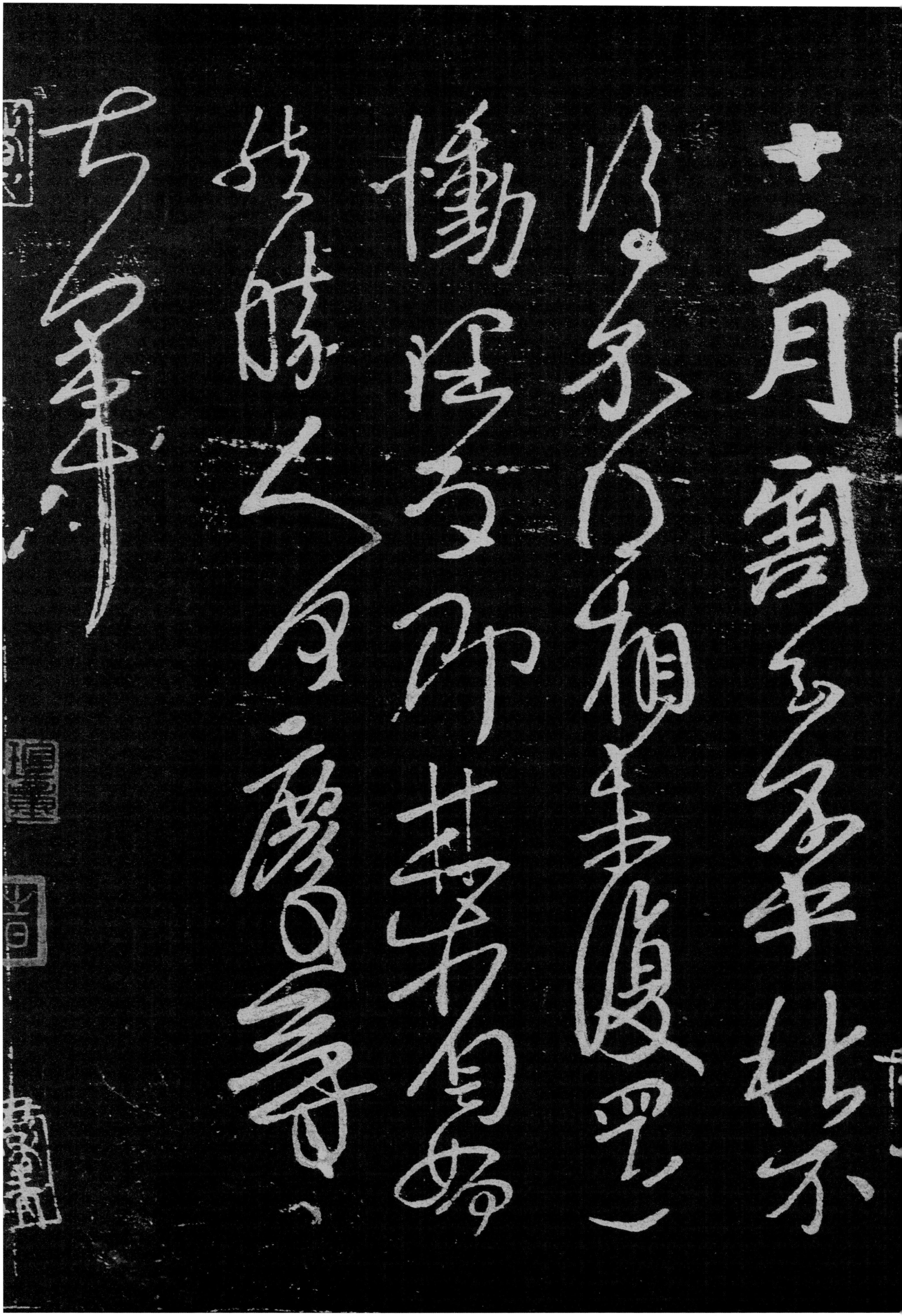

十二月割至不中秋不復不得相未復還慟理为即甚省如何然勝人何慶等大軍

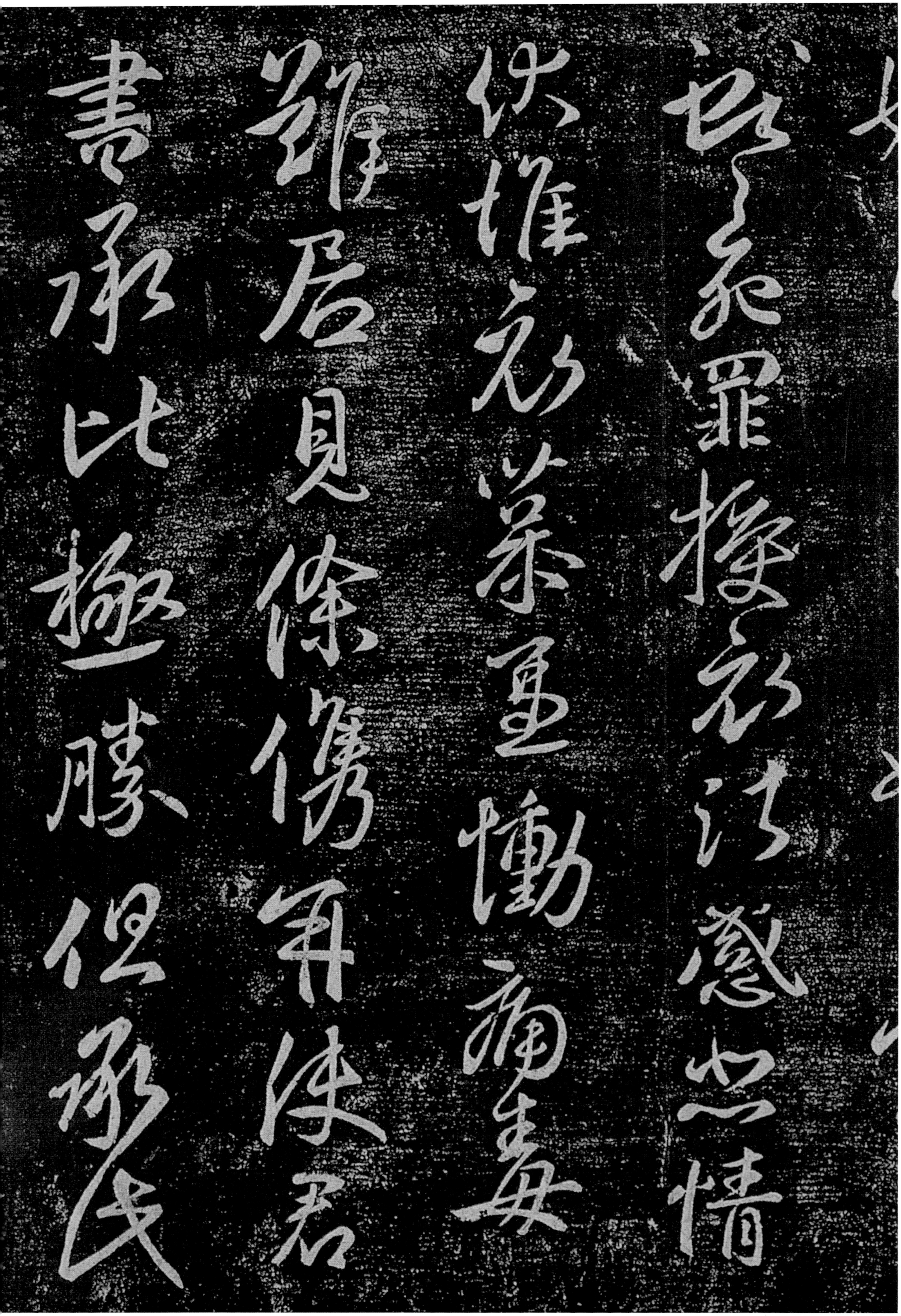

獻之死罪授衣諸感悲情伏惟哀慕兼慟痛毒難居見徐儁并使君書承比極勝但承此

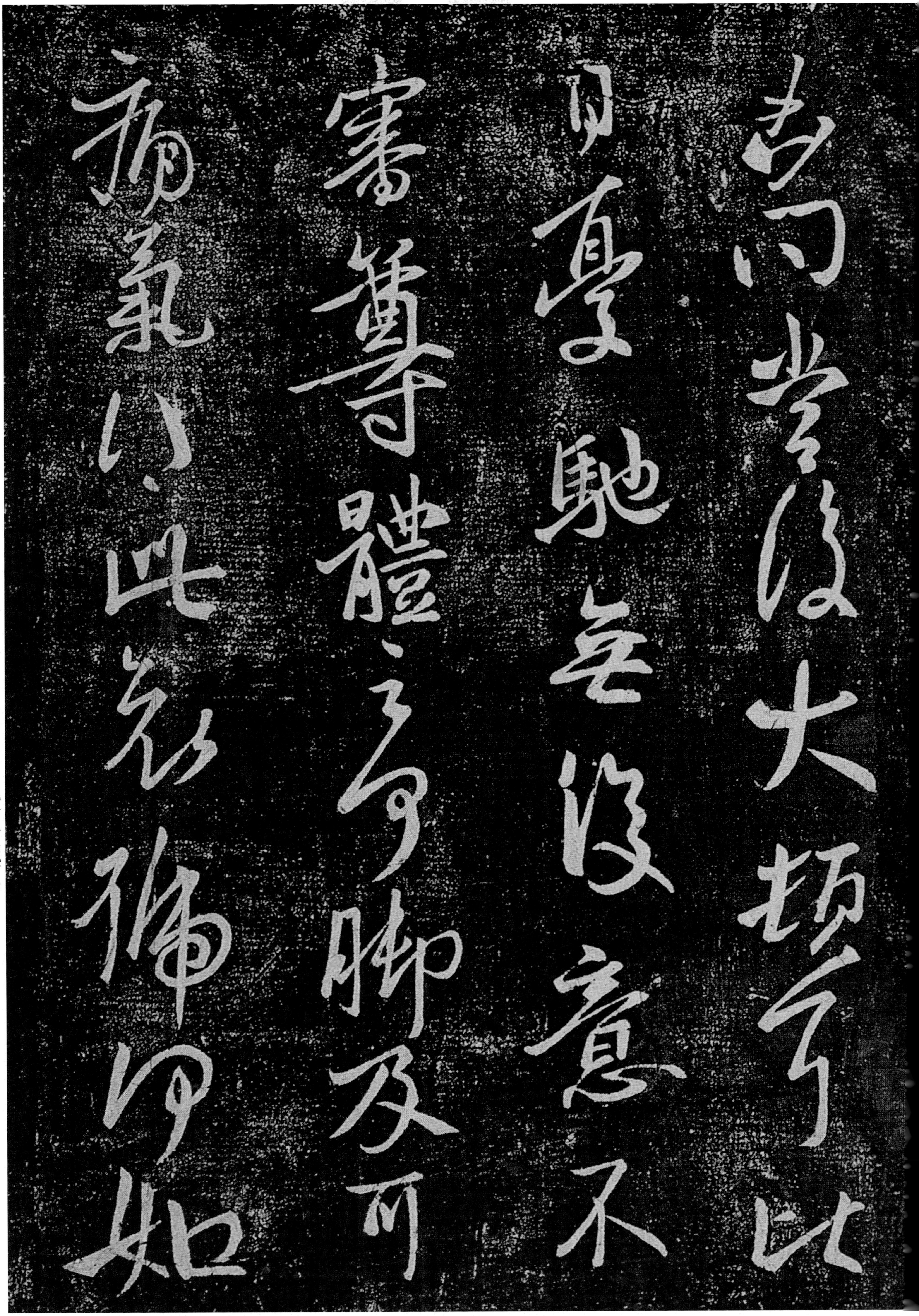

凶問當復大頓耳比日憂馳無復意不審尊體云何脚及耳痛氣得此哀號何如

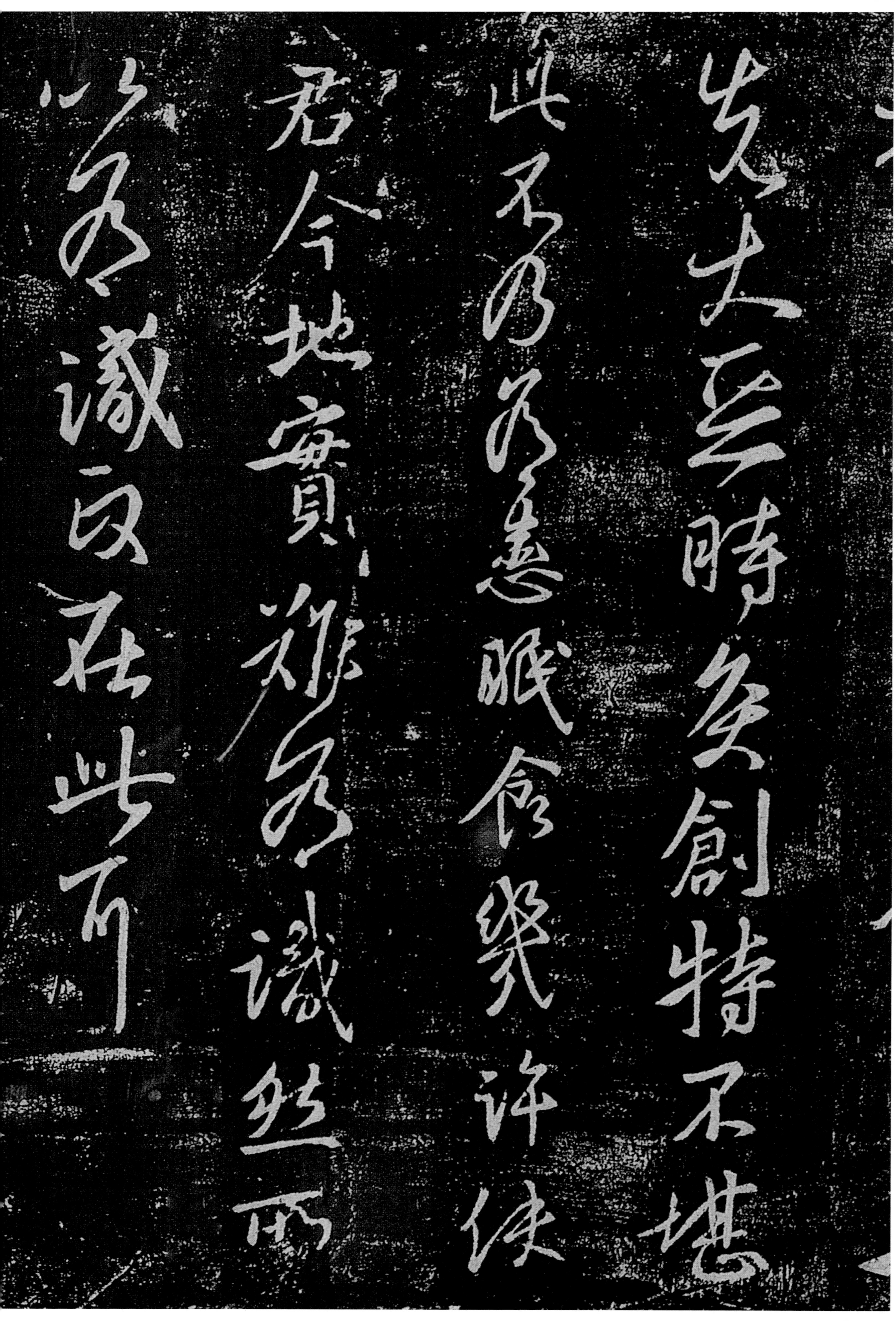

先大惡時灸創特不堪此不乃爲患眠食幾许使君今地實難爲識然所以爲識政在此耳

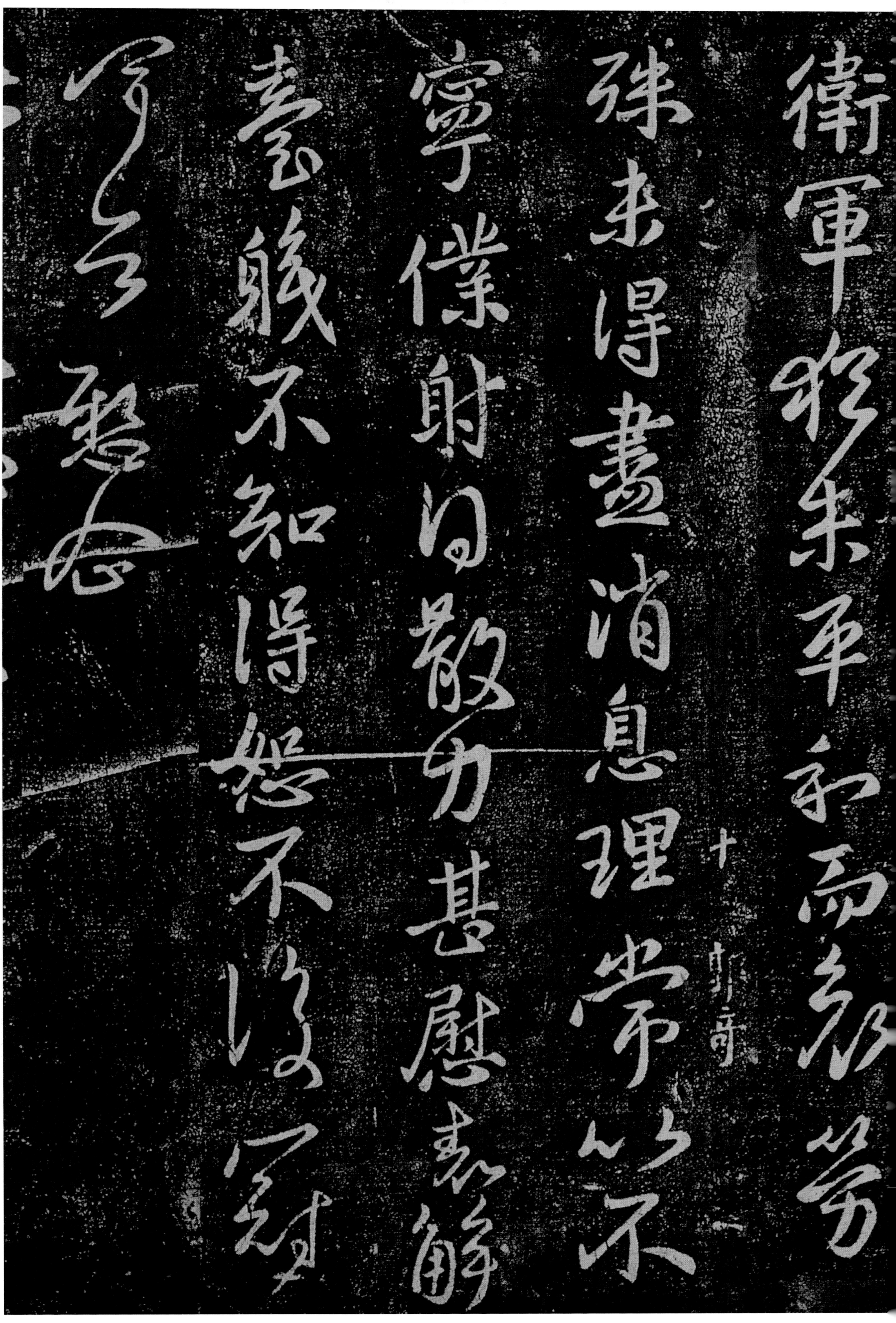

衛軍猶未平和而哀勞殊未得盡消息理常以不寧僕射得散力甚慰表解臺職不知得恕不復冠軍告懸企

衛軍猶未平和而哀勞殊未得盡消息理常不寧僕射得散力甚慰表解臺職不知得恕不復

十一哥

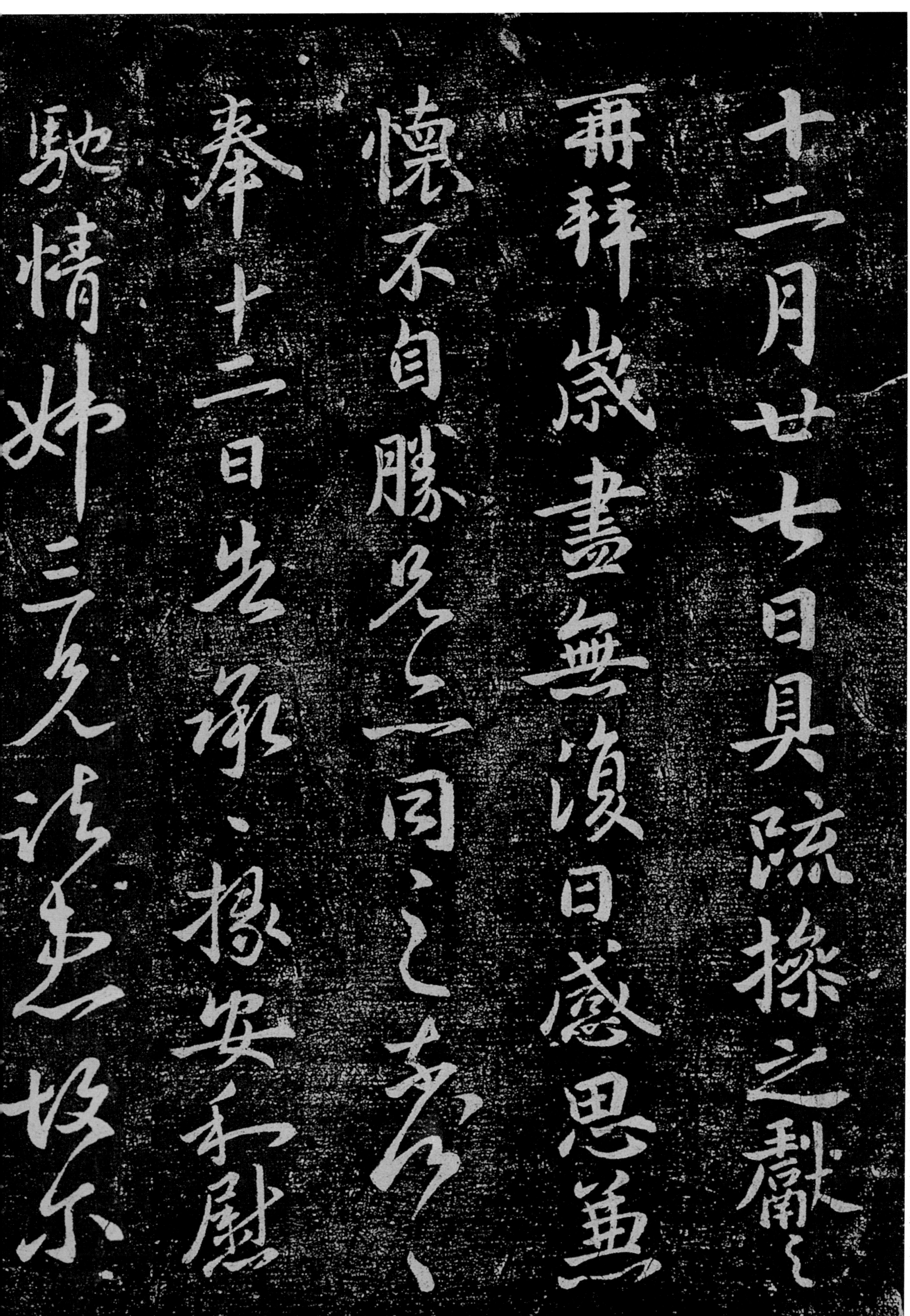

十二月廿七日具疏操之獻之再拜歲盡無復日感思兼懷不自勝兄亦同之奈何奈何奉十二日告承承掾安和慰馳情姊三兄諸患故尔

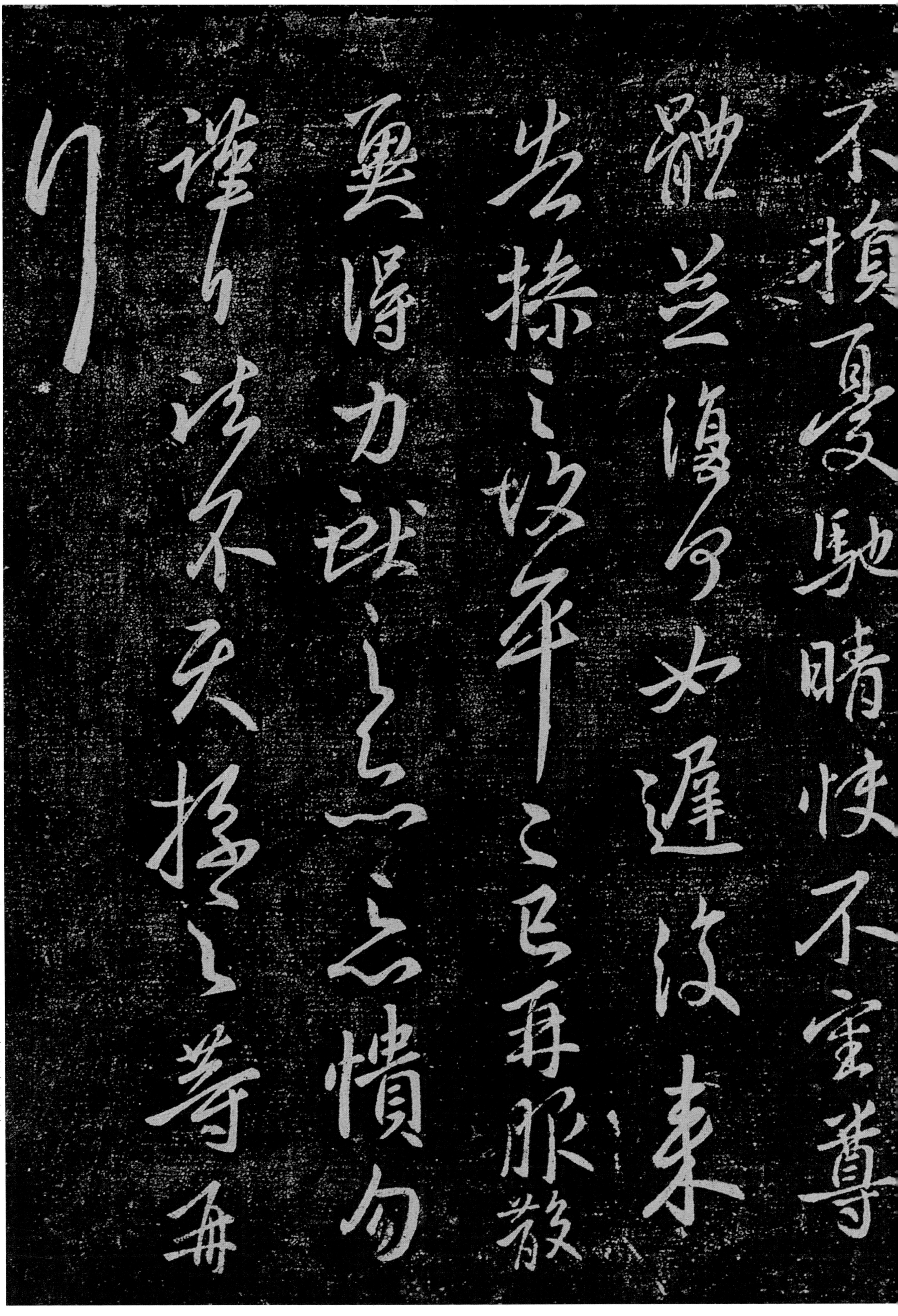

不損憂馳晴快不審尊體並復何如遲復來告操之故平平已再服散冀得力獻之亦惡憒勿謹白諸不具操之等再拜

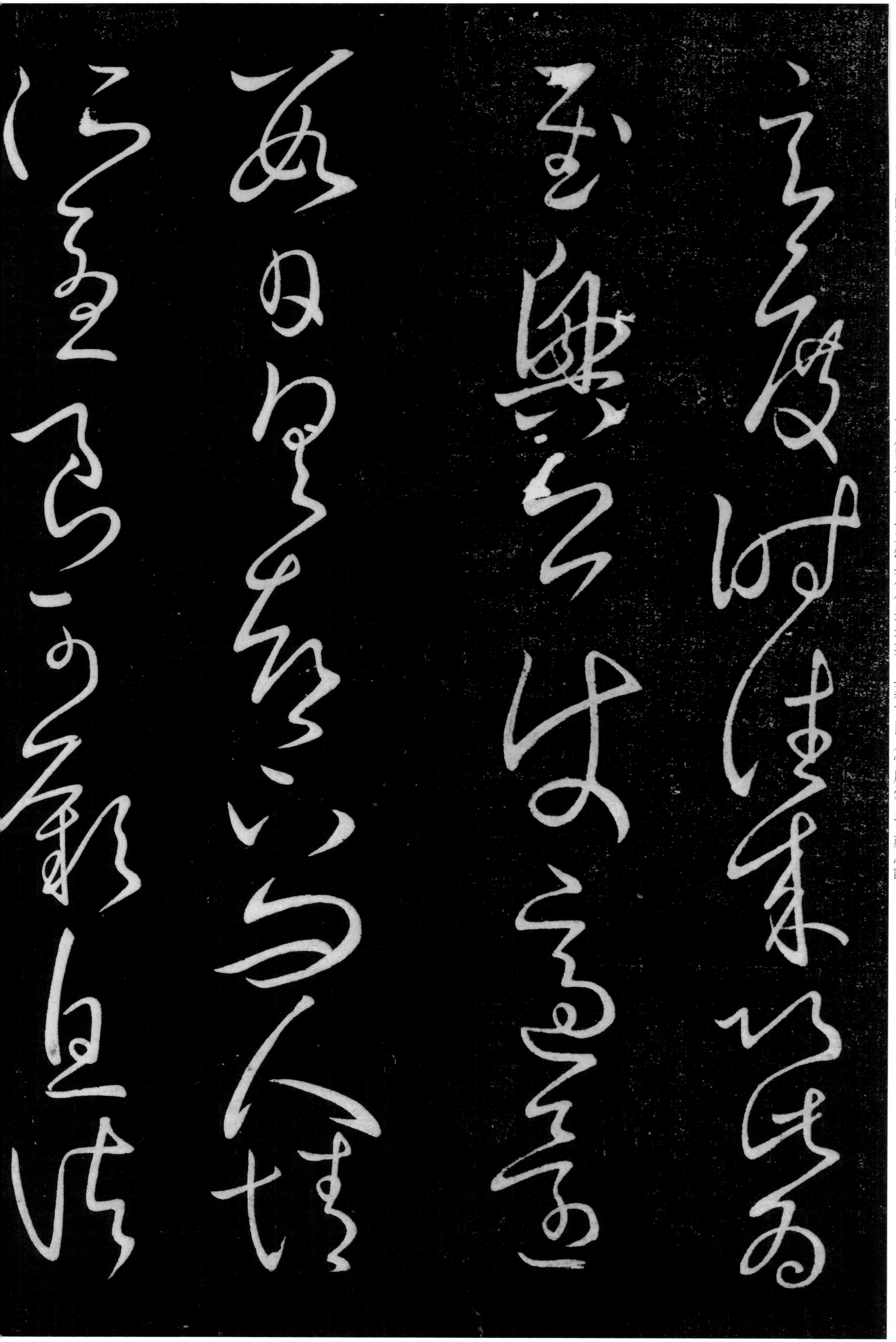

玄度時往來帖

玄度时往來以此为慰與公使適還數日具都下問人情所憂良可歎息諸

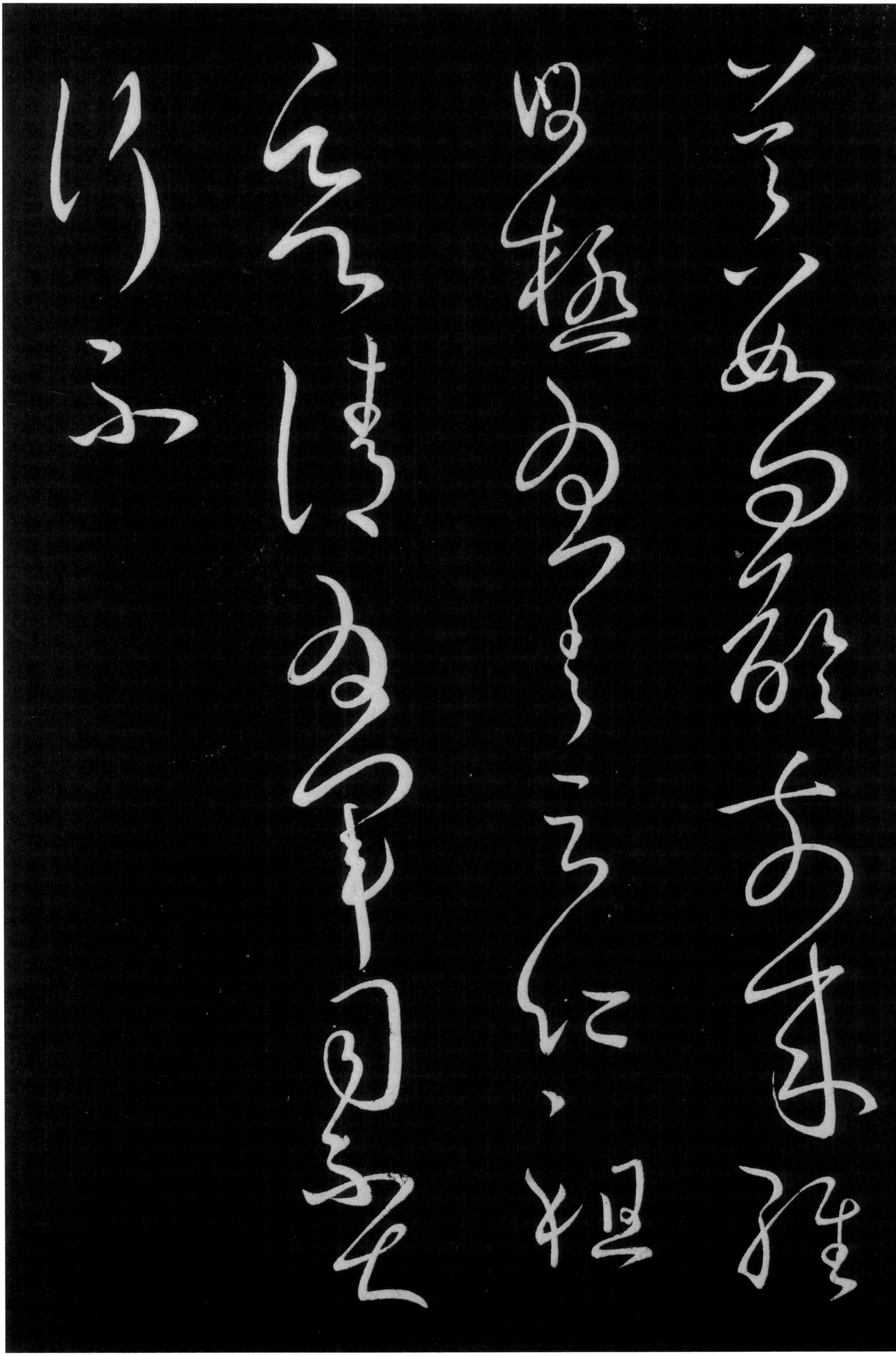

從數問齡前來經日極为差云仁祖欲请为軍司不知行不

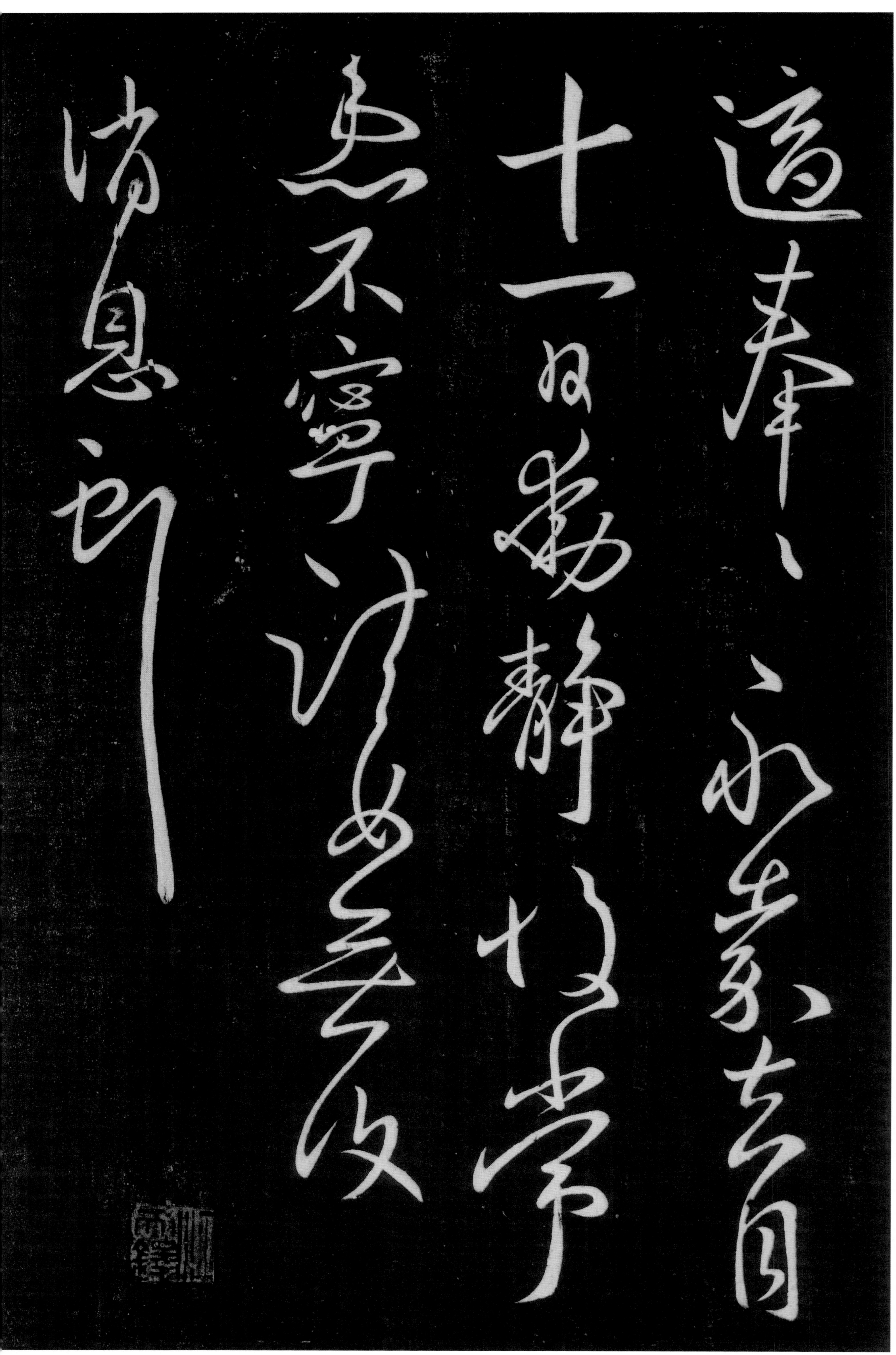

適奉帖

適奉奉永嘉去月十一日動靜故常患不寧諸女無復消息獻之